JE SAIS **TOUT**

LES DINOSAURES

UN PEU D'HISTOIRE

ANECDOTES

COMPARAISONS

TROUVE L'INTRUS

LE SAVAIS TU ?

UN BRIN DE CULTURE

REPÈRE-TOI FACILEMENT GRÂCE AUX PICTOGRAMMES !

Les dinosaures ont régné sur la Terre pendant des millions d'années ! Ils ont vécu durant la période comprise entre 230 millions et 65 millions d'années avant notre ère.

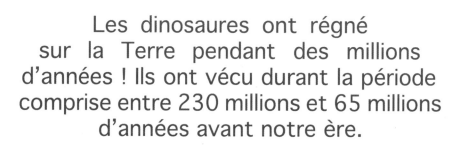

©Olga Popova

Le mot « dinosaure » provient de « *deinos sauros* », ce qui veut dire « lézard terrifiant » en grec. C'est le Britannique Richard Owen qui a proposé ce nom en 1841, basé sur la fausse hypothèse que les lézards étaient des dinosaures.

Compsognatus

Même si les dinosaures sont les plus gros animaux à avoir peuplé la planète, certaines espèces, comme le compsognathus ou le microceratus, n'étaient pas plus grandes qu'une poule !

En 1677, le scientifique Robert Plot a découvert le premier fossile de dinosaure. Il croyait alors qu'il s'agissait d'un squelette d'éléphant !

Le tyrannosaure rex

L'ankylosaure

Le deinonychus

TROUVE L'INTRUS

**Lequel
de ces dinosaures
n'est pas
un carnivore ?**

**Le Tyrannosaure rex (T-Rex)
L'Ankylosaure
Le Deinonychus
L'Oviraptor**

*réponse à la fin du livre

L'oviraptor

Les fossiles sont des restes d'animaux conservés dans la roche. Il y en a partout sur la planète et même sous l'eau ! En Alberta, au parc provincial Dinosaur, on retrouve plus de 60 sortes de fossiles de dinosaures.

Les dinosaures ont été malchanceux. La chute d'un astéroïde géant a causé leur extinction, mais elle n'est pas le seul facteur : à la même période, ils étaient déjà affaiblis par un changement climatique majeur, comportant notamment de longues périodes de froid.

Le cerveau du stégosaure était de la même taille que celui d'un chaton... Par contre, ce dinosaure pesait cinq tonnes, soit le poids de 2700 chatons !

Le tyrannosaure rex avait la mâchoire la plus puissante de tous les êtres vivants ayant habité notre planète.

L'argentinosaure est le
dinosaure le plus imposant à avoir foulé
le sol de la Terre. Il mesurait 40 mètres de
long et 20 mètres de haut et pesait…
77 tonnes. Ça équivaut au poids
de 14 éléphants !

Le spécialiste des
dinosaures se nomme paléontologue.
Son rôle est de faire des fouilles
archéologiques pour extraire des fossiles;
c'est un travail très complexe.

Les dents de dinosaures
les plus longues mesuraient 20
centimètres. C'est l'équivalent de la
longueur d'un rat, sans sa queue !

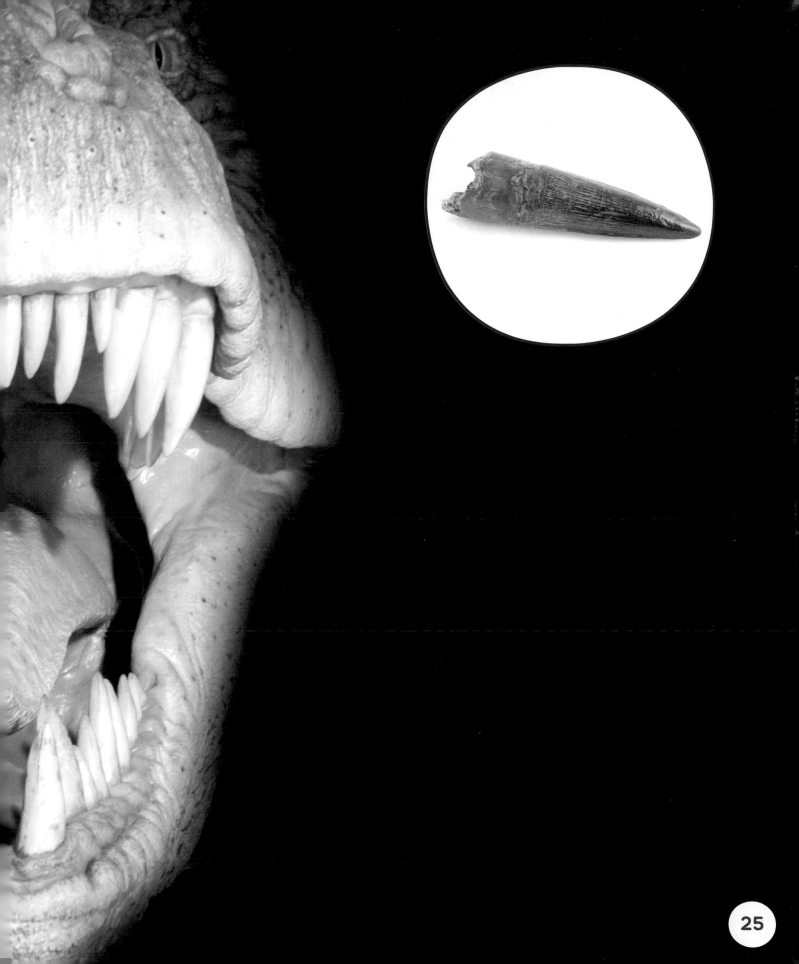

ORNITHISCHIENS

Il existe deux familles de dinosaures : les ornithischiens qui ont un bassin d'oiseau et les saurischiens qui ont un bassin de lézard.

SAURISCHIENS

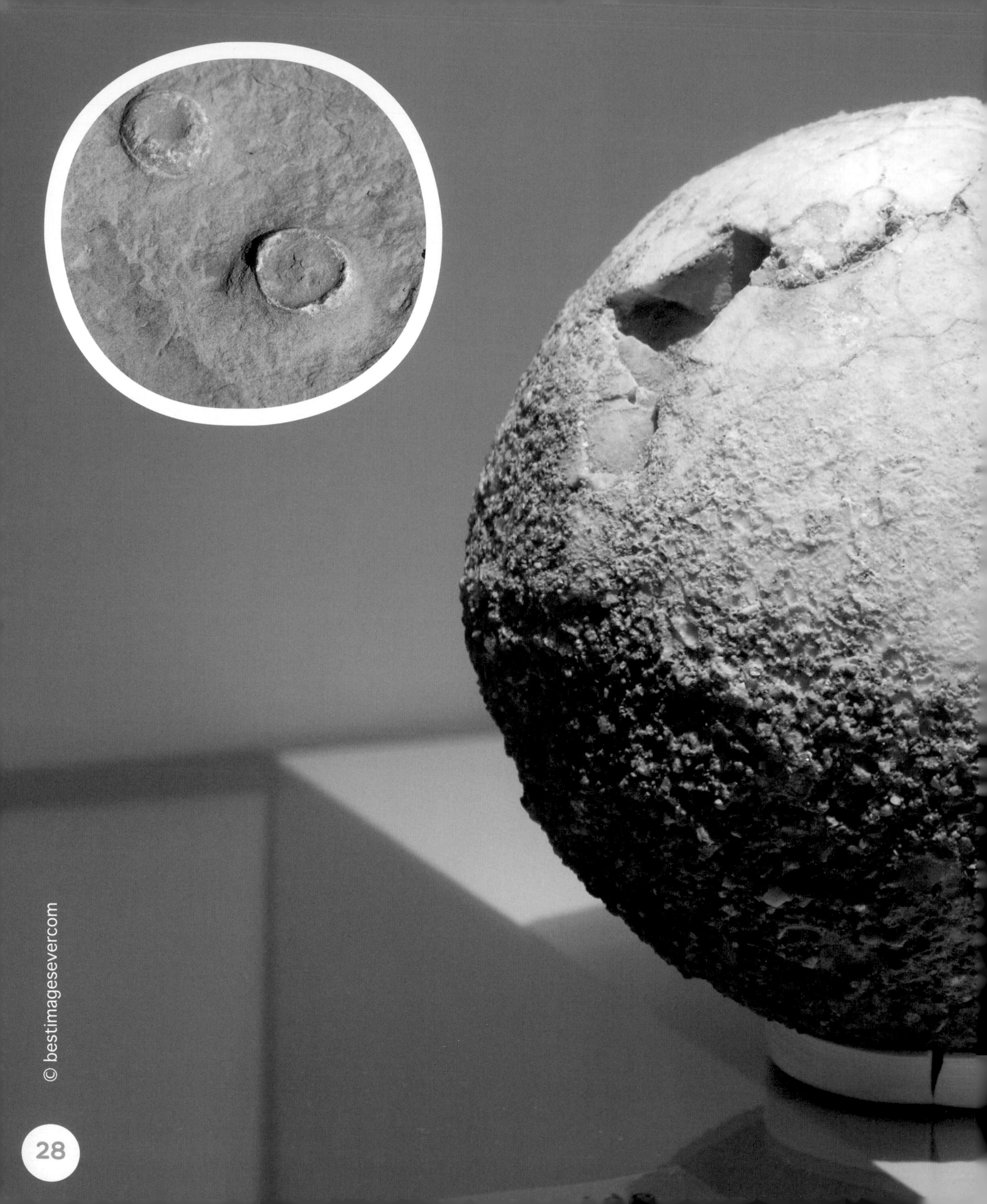

Les dinosaures pondaient des œufs et certains d'entre eux n'étaient guère plus gros qu'une balle de tennis, alors que d'autres pouvaient atteindre 60 centimètres de longueur.

Les dinosaures
ont inspiré plusieurs œuvres
littéraires, dont le fameux roman
de science-fiction « *Jurassic Park* »,
adapté plus tard au cinéma. Au Canada
seulement, on retrouve en librairie plus
de 5 000 livres traitant de ce sujet.

© catwalker

Réponse :

p.10-11 : Lequel de ces dinosaures n'est pas un carnivore ?
réponse : L'ankylosaure qui est herbivore.

Gouvernement du Québec – Programme de crédit d'impôt
pour l'édition de livres – Gestion Sodec

info@lesmalins.ca

Éditeur : Marc-André Audet
Éditrice au contenu : Katherine Mossalim
Auteur : Gabrille Audet-Michaud
Recherche d'images : Jessica Lupien
Correcteurs : Julie Robert, Diane Genet, Fanny Fennec
Conception graphique/montage : Shirley de Susini
Crédits image : Shutterstock

Dépôt légal – Bibliothèque et Archives nationales du Québec, 2015
Dépôt légal – Bibliothèque et Archives Canada, 2015

ISBN: 978-2-89657-290-8

Imprimé en Chine.

Nous reconnaissons l'aide financière du gouvernement du Canada
par l'entremise du Fonds du livre du Canada pour nos activités d'édition.

Les éditions les Malins inc.
Montréal, Québec